• 인생의 깨달음

시간은 나에게 말하고 있다

Time is telling me

이단 박창수 지음

• 시간은 나에게 말하고 있다

그토록 기다리던 나는
나와 이제 마주 앉았다.

The long-awaited me now
sat face to face with me

• 시간은 나에게 말하고 있다

무엇이 되려 했나 ?
무엇을 위해 살아왔나 ?

What was it going to be?
What have you been living for?

• 시간은 나에게 말하고 있다

• 인생의 깨달음

난 이미 결정된 나를
무던히도 괴롭혔다

I'm the one who's already
decided
I bullied him a lot

• 시간은 나에게 말하고 있다

하고 싶은 것을 하라

Do what you want to do

• 시간은 나에게 말하고 있다

변화하지 못하면
아무것도 바꾸지 말고
받아들여라

If you don't change,
Don't change anything
Take it

• 시간은 나에게 말하고 있다

어디서 나를 찾았는가 ?
어디서 나를 잃었는가 ?
어디서 나를 살렸는가 ?

Where did you find me ?
Where did you lose me ?
Where did you save me ?

• 시간은 나에게 말하고 있다

• 인생의 깨달음

시련은 있어도
실패는 없다
우린 해낼 수 있다

Even though it's a lot of hardships,
There is no failure
We can do it

• 시간은 나에게 말하고 있다

침묵은 더 큰 말이다

Silence is a bigger word

• 시간은 나에게 말하고 있다

바로서지 못하면
똑바로 걸을 수 없다

If you can't stand up right away,
can't walk straight

• 시간은 나에게 말하고 있다

• 인생의 깨달음

아이들에게 전하고 싶은 말은 많지만
아이들은 아직 많이 들으려 하지 않는다

I have a lot of things
I want to say to the kids,
The children
don't want to hear much yet

• 시간은 나에게 말하고 있다

시간은 만인의 스승이요 어머니다

Time is the teacher and mother of all

• 시간은 나에게 말하고 있다

나이를 먹으면 좀더
나를 진실된 모습으로
바라본다
그리고
그 모든 것을
좀더 진실된 모습으로 바라본다

As I get older,
I want to show my true self
I'm looking at you
And
All of that
I look at it more truthfully

• 시간은 나에게 말하고 있다

무소유 그것이 진정한 소유다

No possession. That's what it really is

• 시간은 나에게 말하고 있다

내가 세상과 소통하는 방법은
글이요
내가 우주와 소통하는 방법은
나임을 잊지 않는다

The way I communicate with the world
Writing
The way I communicate with the
universe is
I don't forget that I'm

• 시간은 나에게 말하고 있다

- 인생의 깨달음

삶이 다하는 날까지
내가 해야 할일을 잊지않고 행함이
하늘에 축복이요
나의 행복이다

Until the day when life is over,
Not forgetting what I have to do
Blessing to heaven
It's my happiness

• 시간은 나에게 말하고 있다

현실주의자들과
이상주의자들의 만남은
결코 하나가 되지 못한다

with the realists
The meeting of idealists is
can never be one

• 시간은 나에게 말하고 있다

• 인생의 깨달음

우리 소중한 추억 만들자
내 삶이 먼저 끝나면
그 추억으로 나를 기억하도록

• 시간은 나에게 말하고 있다

• 인생의 깨달음

욕심을 버리고 마음을 비워라
그래야 상처 받지 않는다

Abandon your greed
and empty your mind
That's how you don't get hurt

• 시간은 나에게 말하고 있다

말로는 다 하지 못한 나의 이야기
무엇으로 다해야 하는가
의미 있는 말로
의미있는 행동으로

My story that I couldn't tell you
everything
What should I do?
in meaningful words
in a meaningful manner

• 시간은 나에게 말하고 있다

때로는 필요한게 있어요

Sometimes I need something

• 시간은 나에게 말하고 있다

존재는 삶을 의미한다

Being means life

• 시간은 나에게 말하고 있다

• 인생의 깨달음

많은 생각은 삶을 풍요롭게한다
생각만으로도 존재 하듯이

Many thoughts enrich life
As if you exist just by thinking about
it,

• 시간은 나에게 말하고 있다

수행하는 마음으로 살아라

Live with a spirit of fulfillment

• 시간은 나에게 말하고 있다

내가 세상을 잘 모른다 해도
세월이 흘러가면 자연히 알게 돼
너무 걱정하지마

Even if I don't know the world,
As time goes by, you'll find out
naturally
Don't worry too much.

• 시간은 나에게 말하고 있다

• 인생의 깨달음

비로소 자신을 잊어서야
알게 되는 것들
그건 소중한 지식이야

It's only when you forget yourself
Things you learn
It's a valuable piece of knowledge

• 시간은 나에게 말하고 있다

• 인생의 깨달음

시련은 내가 버텨낼 수 있을 만큼 온다

The ordeal comes as long as I can
bear it

• 시간은 나에게 말하고 있다

• 인생의 깨달음

새롭게 시작하는 것을
두려워 하지마라

It's a new life
Don't be afraid

• 시간은 나에게 말하고 있다

말로는 다 하지 못하는 아픔을
마음으로 풀어라
다짐은 그때 생긴다

The pain that I can't do with words
Untie it with your heart
Resolutions arise at that time comes

• 시간은 나에게 말하고 있다

너의 삶을 살아라
나와 안 맞는 것은 결국 떠나게 된다
아쉬워 마라
너는 너의 삶을 살면 된다

Live your life
What doesn't suit me ends up leaving
Don't be sad
You can live your life

• 시간은 나에게 말하고 있다

• 인생의 깨달음

함부러 인연 맺지 마라

Don't try to make a connection

• 시간은 나에게 말하고 있다

시간은
인생은
우리를
삶 속으로
들여 보낸다

The time is
Life is
Us
into life
I'll send you in

• 시간은 나에게 말하고 있다

• 인생의 깨달음

인생의 변화는
나를 믿는 순간
시작된다

The change in life is
The moment you believe in me
It's starting

• 시간은 나에게 말하고 있다

세상에 몸을 맡겨라

Leave your body to the world

• 시간은 나에게 말하고 있다

넘치는 지식보다
비우는 지혜를

rather than overflowing with knowledge
the wisdom of emptying

• 시간은 나에게 말하고 있다

말과 행동의 일치
언행일치

agreement between words and actions
agreement between words and actions

• 시간은 나에게 말하고 있다

슬픔도 지나고 나면

After the sadness passes,

• 시간은 나에게 말하고 있다

날개를 달아라
멀리 날아가자

Put your wings on it
Let's fly away

• 시간은 나에게 말하고 있다

더 큰 세상 속으로 나아가리라

I will move on to a bigger world

● 인생의 깨달음

침묵은 지혜다

Silence is wisdom

• 시간은 나에게 말하고 있다

인생은 내가 찾는 것이다

Life is what I'm looking for

• 시간은 나에게 말하고 있다

잊혀진다는 건
가슴아픈 애기

Being forgotten
a heartbreaking story

돈을 주고도
못사는 마음이 있다

Even if you pay me,
have a bad heart

• 시간은 나에게 말하고 있다

하루의 고단함을
날려버리는 밤
주위를 둘러 보아요

The exhaustion of the day
Blowing Night
Look around

• 시간은 나에게 말하고 있다

• 인생의 깨달음

내가 선택한 인생 길은
바로 이 길 입니다

The path of my life that I chose
It's this road

• 시간은 나에게 말하고 있다

나를 의미 있게하는 것은
바로 당신 때문 입니다

What makes me meaningful is that
It's because of you

• 시간은 나에게 말하고 있다

• 인생의 깨달음

나를 찾아 걸어 가리라

Look for me and walk away

• 시간은 나에게 말하고 있다

부모의 책임은
아이의 혼돈된 삶을 정리 해주는
것에 있다

Parents are responsible
It's a song that cleans up a child's
chaotic life be in

• 시간은 나에게 말하고 있다

• 인생의 깨달음

물도
시간도
꺼꾸로
흐르지
않는다

Water, too
The time
upside down
It's flowing
I won't

• 시간은 나에게 말하고 있다

● 인생의 깨달음

난 이미
인생의
마지막 배를 탔다

I'm already
life
I got on the last boat

• 시간은 나에게 말하고 있다

• 인생의 깨달음

주워진 인생을 살아가자
그리고
꿈꾸는 세상 속
나를 찾아 보자
세상 어디쯤 내가 있을까 ?

Let's live our lives
And
In the world of dreams
Let's find me
Where in the world am I?

• 시간은 나에게 말하고 있다

자유와
타협하며
평온을 유지하라

Freedom and
at a compromise
Keep calm

• 시간은 나에게 말하고 있다

당신은
나에게
그 얼마나
소중한 사람인가 ?

You're.
to me
How much
Am I a precious person ?

• 시간은 나에게 말하고 있다

인생공부
수행
그리고
나눔

Life study
Fulfillment
And
Sharing

• 시간은 나에게 말하고 있다

인생은
정말
외로운
싸움과 같다

Life is
Really
Lonely
be like a fight

• 시간은 나에게 말하고 있다

• 인생의 깨달음

최선을 다해 살아라
후회란 없는 것이다

Live your life to the best you can
There is no regret

• 시간은 나에게 말하고 있다

집착을 벗어 버리고
인연을 받아 들여라

Let's get rid of our obsession
Accept your fate

• 시간은 나에게 말하고 있다

밤 하늘 별처럼
고요한 평화

Like stars in the night sky
quiet peace

• 시간은 나에게 말하고 있다

그냥
이렇게
살아도
되는 것인가
내안에
나는
요동한다

Just.
So
Even if I live
Is it working?
in me
I.
It's fluctuating

• 시간은 나에게 말하고 있다

우린 눈으로 말해요

We speak with our eyes

• 시간은 나에게 말하고 있다

우린 모두 하나다
그리고
우린 모두가
이유가 있다

We're all one
And
We're not all of us
have a reason

• 시간은 나에게 말하고 있다

인생의 굴레

the yoke of life

• 시간은 나에게 말하고 있다

그건
결코
결코
온전한
행복이
아니예요

That's.
Never
Never
intact
Happiness
No

• 시간은 나에게 말하고 있다

• 인생의 깨달음

이 순간이 끝나지 않게

So that this moment doesn't end

• 시간은 나에게 말하고 있다

오늘의 주인공은
바로 당신 입니다

Today's star is
It's you

• 시간은 나에게 말하고 있다

그냥
이대로
있어 주세요

Just.
Like this
Please stay

• 시간은 나에게 말하고 있다

자신을
지켜 주세요
힘을 낼 수 있게
말이예요

I'myself
Please protect me
So that I can cheer up
You know what?

• 시간은 나에게 말하고 있다

노력은
재능을
넘어선다

The effort is
The talent
It'takes

• 시간은 나에게 말하고 있다

어디를 향하고 있는가 ?

Where are you headed ?

내가 하고픈 것을 하세요

Do what I want to do

• 시간은 나에게 말하고 있다

• 인생의 깨달음

시간만 가는
그런 삶은 살지 마세요
우린 생각이 있는
사람 입니다
생각 하세요
더 나은 나를 만나는 생각

Time is ticking
Don't live that kind of life
We're thinking
It's a person
Think about it
The thought of meeting a better me

• 시간은 나에게 말하고 있다

열정
꺼꾸로
정열

Passion
upside down
Passion

• 시간은 나에게 말하고 있다

가치 있는 삶
편견 오만을 넘어서

a life of value
Beyond prejudice and arrogance

• 시간은 나에게 말하고 있다

달
불
물
나무
금
흙
태양

Month
Fire
Water
Trees
gold
soil
Sun

• 시간은 나에게 말하고 있다

● 인생의 깨달음

그토록
인생을 몰랐던
철 없는 시간

like that
I didn't know my life
time without season

• 시간은 나에게 말하고 있다

마음이 부자인 사람
그 사람이 부자 입니다

a man of a rich heart
He is rich

• 시간은 나에게 말하고 있다

날마다 좋은 날 되세요

Have a good day every day

• 시간은 나에게 말하고 있다

어른이 되라
몸도 마음도

Become an adult
Body and mind

• 시간은 나에게 말하고 있다

풀리지 않는 인생은
수수께끼

Life that can't be solved
Riddle

• 시간은 나에게 말하고 있다

울면 바보예요

I'm a fool when I cry

• 시간은 나에게 말하고 있다

나는 있잖아
아직 너를 사랑해

You know what?
I still love you.

• 시간은 나에게 말하고 있다

모든 건
시간이
필요해요

Everything.
Time
I need it.

- 시간은 나에게 말하고 있다

● 인생의 깨달음

너무 멀리 돌아 왔어요
나는 이미 결정된 사람임을
알게 되었죠
난 주워진 삶 속에서
세상을 볼 거예요
그리고
세상과 소통 할 겁니다

I came back too far.
I'm a man who's already decided.
I found out.
In the life I've been picked up
I'm going to see the world.
And
I'm going to communicate with the world.

• 시간은 나에게 말하고 있다

사랑을 많은 후회 뒤에 배웠답니다

I learned love after many regrets.

• 시간은 나에게 말하고 있다

눈물 속에
술 한잔

in tears
a glass of wine

• 시간은 나에게 말하고 있다

눈 부신 햇살 담아
당신께 보내 드립니다

With the bright sunlight.
I will send it to you.

• 시간은 나에게 말하고 있다

● 인생의 깨달음

인생은 빌려 살수 없어요
우리 자신의 삶을 살아야 해요

You can't borrow a life.
We have to live our own lives.

• 시간은 나에게 말하고 있다

헛된 분노에
감정 소비 하지 말아요

in vain anger
Don't use your emotions.

• 시간은 나에게 말하고 있다

말일 뿐이야
너무 속상해 하지 말아요

It's just a horse.
Don't be so upset.

• 시간은 나에게 말하고 있다

• 인생의 깨달음

이제야 보이는 삶인데
너무 많은 걸 잃어 버렸네요

It's a life I can see now.
I've lost so much.

- 시간은 나에게 말하고 있다

위로 받고 기대고 싶은 맘이 있어요

I want to be comforted and lean on you.

• 시간은 나에게 말하고 있다

그러지 마세요
다시 한번 용기를 내 보세요

Don't do that.
Try to be brave again.

• 시간은 나에게 말하고 있다

당신도 할 수 있어요

You can handle it.

• 시간은 나에게 말하고 있다

마음을 가라 앉혀라
끓어 오르는 화를 진정 시켜라

Calm down.
Calm down your boiling anger.

• 시간은 나에게 말하고 있다

위로의 말 한마디

a word of consolation

• 시간은 나에게 말하고 있다

얇은 물은 전부를 담을 수 없다

Thin water cannot hold everything.

• 시간은 나에게 말하고 있다

인연이라는 것은
쉽게 오는게
아니더군요

Fate is...
It's easy.
It wasn't.

• 시간은 나에게 말하고 있다

삶에 얽매이지 말아요

Don't be tied to life.

• 시간은 나에게 말하고 있다

자기 자신의
의지가
무엇보다
중요 합니다

one's own
The will...
Above all.
It's important.

• 시간은 나에게 말하고 있다

인생에 늦음이란 없습니다
도전 하세요
더 많은 시간이
지나가지 않게

There is no delay in life.
Go for it.
I hope that more time
so that it doesn't pass by.

• 시간은 나에게 말하고 있다

나를 빛나게 가꿔 나가요

Make me shine

• 시간은 나에게 말하고 있다

자신의 건강은 자신이 챙겨 가야 합니다

You have to take care of your health.

• 시간은 나에게 말하고 있다

민음을 자신에게 돌리세요
세상에 자신을 믿는 것이
얼마나 행복한 일인가요

Give your faith to yourself.
Trusting yourself in the world...
How happy it is.

• 시간은 나에게 말하고 있다

갈고 닦아야 빛이 납니다
인생도 그러 하지요

You need to polish it to shine.
So does life.

• 시간은 나에게 말하고 있다

새로움으로 마음을 채워라

Fill your heart with newness.

• 시간은 나에게 말하고 있다

내가 살아야 네가 사는 걸 왜 모르나

If I live, why don't I know you live?

• 시간은 나에게 말하고 있다

홀로 외로워 보았다
옛 생각에 젖어
그리움이란 것을 맛 보았다
이젠 외로워 지지 말자

I felt lonely alone.
immerse oneself in old memories
I had a taste of longing.
Let's not be lonely anymore.

• 시간은 나에게 말하고 있다

자기를 완성하라
세상에 가장 소중한 사람은
바로 나임을 잊지마라

Complete yourself.
The most precious person in the world
is
Don't forget it's me.

• 시간은 나에게 말하고 있다

욕심이 들어오면
마음은 어두워 진다

If you get greedy,
one's heart grows dark

• 시간은 나에게 말하고 있다

아름다운 것들만기억하며 살아요

I only remember beautiful things.

• 시간은 나에게 말하고 있다

• 인생의 깨달음

가르치지 말아라
곧 깨우칠 것이다

Don't teach me.
I shall soon be enlightened.

• 시간은 나에게 말하고 있다

삶엔 연습이란 없다

There is no practice in life.

• 시간은 나에게 말하고 있다

홀로 완벽하지 못하면
그 어디에도 완벽 할수 없다

If you're not perfect by yourself,
It can't be perfect anywhere else.

• 시간은 나에게 말하고 있다

홀로 아름다운 밤을 맞이 했는가
난 나로써 충분한 밤을 보낼 것이다
누구나가 다 아름다운 밤을
지새는 건 아니다

Did you have a beautiful night alone?
I'll have enough nights as myself.
Everyone has a beautiful night
It's not like you'm not staying.

• 시간은 나에게 말하고 있다

잇지마라
난 혼자가 아니라는 것을

Don't forget.
I'm not alone.

• 시간은 나에게 말하고 있다

꿈을 실현 하라
어젠가 높은 곳에 오를 수 있을 것이다

Make your dreams come true.
You'll be able to climb high yesterday.

• 시간은 나에게 말하고 있다

완전이 자기 자신이 못되면
외로움은 함께 찾아온다

Make your dreams come true.
You'll be able to climb high yesterday.

• 시간은 나에게 말하고 있다

삶을 잘 정리하라
꿈의 실현은 잘 정리된 삶과같다

Organize your life well.
Realizing a dream is like a well-
organized life.

• 시간은 나에게 말하고 있다

인생은 꽃 입니다
피고지는 꽃과 같습니다

Life is a flower.
Blooming is like a flower.

• 시간은 나에게 말하고 있다

마음의 짐을 버려라
고통은 몸과 마음을
아프게 할 뿐이다

Let go of your burdens.
Pain takes the body and the mind.
It'll only hurt.

• 시간은 나에게 말하고 있다

비겁한 겁쟁이가 되려 하는가 ???

Are you trying to be a coward ???

• 시간은 나에게 말하고 있다

눈에 보이는 것을 따르려 하지말라

Don't try to follow what you see.

• 시간은 나에게 말하고 있다

시대논객
내 시절은 이것 이었다
다음 생엔 이것이 없는 세상에 살고 싶다

a commentator on the times
This was my time.
I want to live in a world without it in my
next life.

• 시간은 나에게 말하고 있다

우리는 우주에 아주 작은 섬에 살고 있다
우주란 어떤 것일까 ???
그리고 우주의 끝은 무엇일까 ???

We live on a very small island in space.
What is the universe like?
And what is the end of the universe?

• 시간은 나에게 말하고 있다

삶을 노래하라
삶을 즐겨라
오늘은 내가 삶의 주인공이다

Sing about life.
Enjoy your life.
I'm the main character of my life today.

• 시간은 나에게 말하고 있다

새로운 길을 열어라
지금 까지의 길은 연습이었다

Open a new path.
The road so far has been practice.

• 시간은 나에게 말하고 있다

시간은 나에게 말하고 있다

발 행 | 2024년 07월 29일
저 자 | 박창수
펴낸이 | 한건희
펴낸곳 | 주식회사 부크크
출판사등록 | 2014.07.15.(제2014-16호)
주 소 | 서울특별시 금천구 가산디지털1로 119 SK트
윈타워 A동 305호
전 화 | 1670-8316
이메일 | info@bookk.co.kr

ISBN | 979-11-410-9806-3
www.bookk.co.kr
ⓒ 박창수 2024